乙瑛碑

中國碑帖名品

［十］

上海書畫出版社

U0113115

《中國碑帖名品》編委會

前言

中華文明綿延五千餘年，文字實具第一功。從倉頡造字而雨粟鬼泣的傳説起，歷經華夏子民智慧聚集、薪火相傳，終使漢字生生不息、蔚爲壯觀。伴隨著漢字發展而成長的中國書法，基於漢字象形表意的特性，在一代又一代書寫者的努力之下，最終超越其實用意義，成爲一門世界上其他民族文字無法企及的純藝術，并成爲漢文化的重要元素之一。在中國知識階層看來，書法是中國人『澄懷味象』、寓哲理於詩性的藝術最高表現方式，她净化、提升了人的精神品格，歷來被視爲『道』『器』合一。而事實上，中國書法確實包羅萬象，從孔孟釋道到各家學説，從宇宙自然到社會生活，中華文化的精粹，在其間都得到了種種反映，書法無愧爲中華文化的載體。書法又推動了漢字的發展，篆、隸、草、行、真五體的嬗變和成熟，源於無數書家承前啓後、對漢字美的不懈追求，多樣的書家風格，則愈加顯示出漢字的無窮活力。那些最優秀的『知行合一』的書法家們是中華智慧的實踐者，他們彙成的這條書法之河印證了中華文化的發展。

因此，學習和探求書法藝術，實際上是瞭解中華文化最有效的一個途徑。歷史證明，漢字及其書法衝破了民族文化的隔閡和時空的限制，在世界文明的進程中發生了重要作用。我們堅信，在今後的文明進程中，這一獨特的藝術形式，仍將發揮出巨大的力量。然而，在當代這個社會經濟高速發展、不同文化劇烈碰撞的時期，書法也遭遇前所未有的挑戰，這其間自有種種因素，而漢字書寫的退化，或許是書法之道出現踟躕不前窘狀的重要原因，因此，有識之士深感傳統文化有『迷失』、『式微』之虞。書法藝術的健康發展，有賴對中國文化、藝術真諦更深刻的體認，彙聚更多的力量做更多務實的工作，這是當今從事書法工作的專業人士責無旁貸的重任。

有鑒於此，上海書畫出版社以保存、還原最優秀的書法藝術作品爲目的，承繼五十年出版傳統，出版了這套《中國碑帖名品》叢帖。該叢帖在總結本社不同時段字帖出版的資源和經驗基礎上，更加系統地觀照整個書法史的藝術進程，彙聚歷代尤其是今人對不同書體不同書家作品（包括新出土書迹）的深入研究，以書體遞變爲縱軸，以書家風格爲横綫，遴選了書法史上最優秀的書法作品彙編成一百册，再現了中國書法史的輝煌。

爲了更方便讀者學習與品鑒，本套叢帖在文字疏解、藝術賞評諸方面做了全新的嘗試，使文字記載、釋義的屬性與書法藝術造型、審美的作用相輔相成，進一步拓展字帖的功能。同時，我們精選底本，并充分利用現代高度發展的印刷技術，精心校核，原色印刷，幾同真迹，這必將有益於臨習者更準確地體會與欣賞，以獲得學習的門徑。披覽全帙，思接千載，我們希望通過精心編撰、系統規模的出版工作，能爲當今書法藝術的弘揚和發展，起到綿薄的推進作用，以無愧祖宗留給我們的偉大遺産。

上海書畫出版社

簡介

《乙瑛碑》，全稱《魯相乙瑛請置孔廟百石卒史碑》，簡稱《百石卒史碑》，又名《孔廟置守廟百石孔龢碑》。東漢永興元年（一五三年）立無額。隸書，十八行，行四十字。碑在山東曲阜孔廟。此碑主要記載魯相乙瑛上書請於孔廟置百石卒史一人，執掌禮器廟祀之公牘。此碑結體方整，骨肉停勻，法度嚴謹，用筆方圓兼備，平正中有秀逸之氣，是漢隸成熟期的典型作品，屬方整平正一路。與《禮器碑》、《史晨碑》并稱『孔廟三碑』。

本次選用之本爲上海圖書館所藏明拓本，經王懿荣、周大烈遞藏，『辟』字右部二横可見。椎拓极精，極爲難得。整幅爲朵雲軒所藏，百年前舊拓。均爲首次原色全本影印。

司徒臣雄司空臣戒稽首言魯前相瑛書言詔書崇聖道勉□藝孔子作春秋制孝經删述五經演易繫
辭經緯天地幽讚神明故特立廟褒成侯四時來祠事已即去廟有禮器無常人掌領請置百石卒史一
人典主守廟春秋饗禮財出王家錢給大酒直須報謹問大常祠曹掾馮牟史郭玄辭對故事辟雍禮未
行祠先聖師侍祠者孔子子孫大宰大祝令各一人皆備爵大常丞監祠河南尹給牛羊豕雞□□各一
大司農給米祠臣愚以為如瑛言孔子大聖則象乾坤為漢制作先世所尊祠用眾牲長吏備爵今欲加
寵子孫敬恭明祀傳于罔極可許臣請魯相為孔子廟置百石卒史一人掌領禮器出王家錢給大酒直
他如故事臣雄臣戒愚戇誠惶誠恐頓首頓首死罪死罪臣稽首以聞
制曰可　　司徒公河南原武吳雄字季高
元嘉三年三月廿七日壬寅奏雒陽宮　　司空公蜀郡成都趙戒字意伯
元嘉三年三月丙子朔廿七日壬寅司徒雄司空戒下魯相承書從事下當用者選其年卌以上經通一藝
雜試通利能奉弘先聖之禮為宗所歸者如詔書書到言
永興元年六月甲辰朔十八日辛酉魯相平行長史事卞守長擅叩頭死罪敢言之
司徒司空府壬寅詔書為孔子廟置百石卒史一人掌主禮器選年卌以上經通一藝雜試能奉弘先聖
之禮為宗所歸者平叩頭叩頭死罪死罪謹案文書守文學掾魯孔龢師孔憲戶曹史孔覽等雜試龢脩
春秋嚴氏經通高第事親至孝能奉先聖之禮為宗所歸除龢補名狀如牒平惶恐叩頭死罪死罪上
司空府
贊曰巍巍大聖赫赫彌章相乙瑛字少卿平原高唐人令鮑疊字文公上黨屯留人政教稽古若重規
矩乙君察舉守宅除吏孔子十九世孫麟廉請置百石卒史一人鮑君造作百石吏舍功垂無窮於是始□

後漢鍾太尉書　宋嘉祐七年張稚圭按圖題記

漢魯相乙瑛請置孔廟百石卒史碑 明拓本

碑字左下半存口字右下半存兩横

夕紅廔藏 己未十月署簽

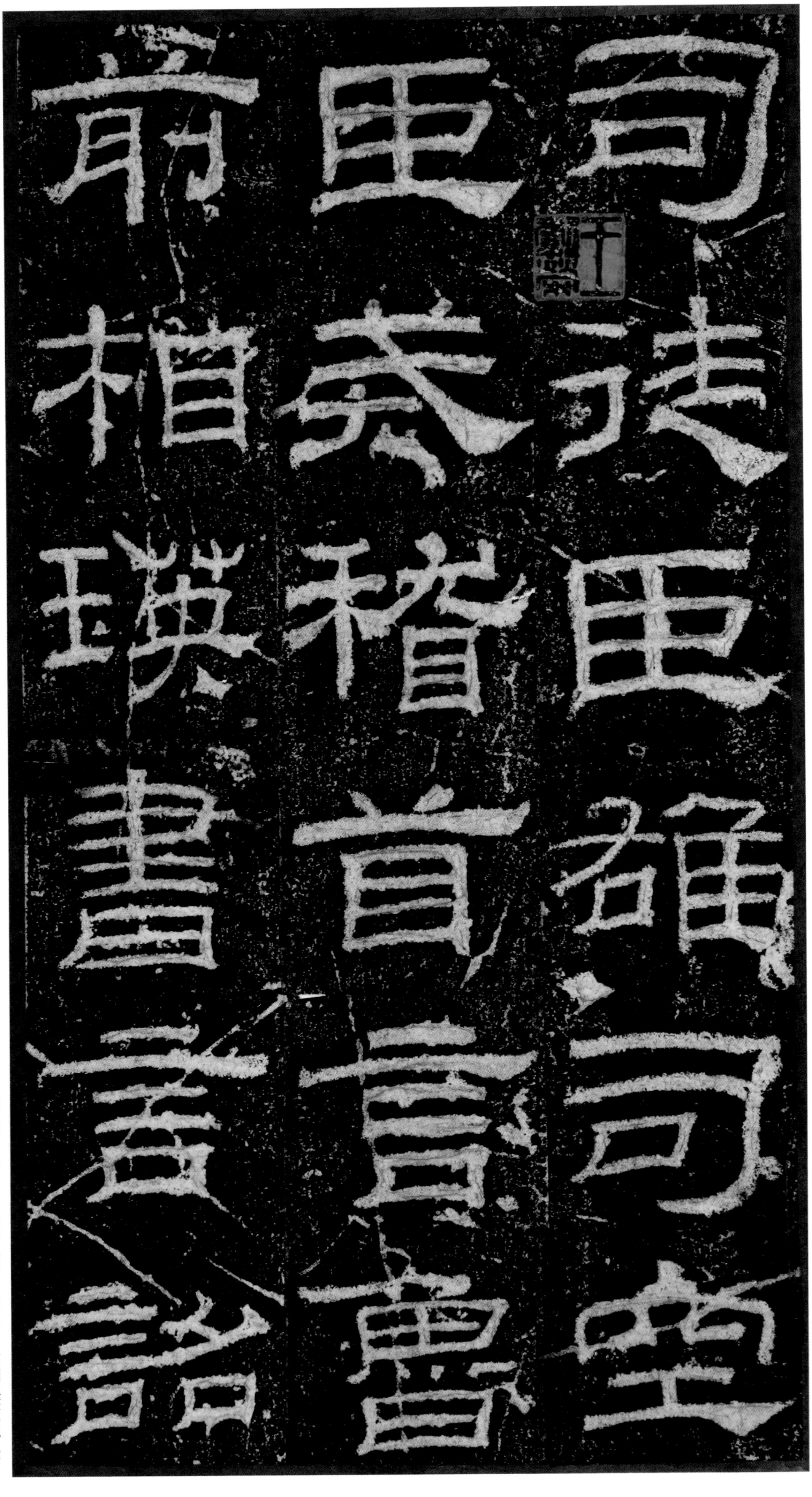

司徒臣雄、司空／臣戒，稽首言：魯／前相瑛書言，詔／

司徒：周六卿之一，古稱地官大司徒。掌管國家土地和人民教化。漢哀帝元壽二年改丞相爲大司徒，與大司馬、大司空并列爲三公。東漢時改稱司徒。

相：官名，諸侯王國的丞相，統領衆官。

瑛：乙瑛，下文載：『相乙瑛字少卿，平原高唐人。』

司空：周爲六卿之一，古稱冬官大司空。掌管工程。漢改御史大夫爲大司空，爲三公之一，後去大字爲司空。

魯：魯國，東漢諸侯國。

書宗聖道，勉（學）〔藝。孔子作《春秋》，〔制《孝經》，（删定）《五〔

學藝：學習六藝。即學習儒家所謂的禮（禮儀）、樂（音樂）、射（射箭）、御（駕車）、書（識字）、數（計算）六種才藝。

經》，演《易·繫辭》，經／緯天地，幽讚神／明，故特立廟。褒／

五經：五部儒家經典，即《詩》、《書》、《易》、《禮》、《春秋》。

演：演繹，解說。

經緯天地：此處指以天地爲法度。《左傳·昭公二十八年》：『經天緯地曰文。』後世謂經營天下，治理國政。

讚：同『贊』。幽贊神明：謂暗中受神明的幫助。語出《易·說卦》傳：『昔者聖人之作《易》也，幽贊於神明而生蓍。』高亨注：『言聖人作《易》，暗中受神明之贊助，故生蓍草，以爲占筮之用。』

成侯四時來祠，/事已即去。廟有/禮器，無常人掌/

褒成侯：孔子後裔的封號，當時的褒成侯爲孔子十八代孫孔損。漢武帝罷黜百家，獨尊儒術後，漢元帝封孔子十三代孫孔霸爲『褒成侯』，賜食邑八百户。後世封號屢有更换，但各朝皆沿襲未廢。

禮器：祭祀用的各種器物，如鼎、簋、觚、鐘等。

領，請置百石（卒／史）一人，典主守／廟。春秋饗禮，財／

石：容量單位，十斗爲一石。百石，即一年得穀百石。古時官員的俸禄以穀物來計算，秩級亦以百石、千石等别之。卒史：漢代官署中屬吏之一。百石卒史，即秩百石的署吏，屬於比較低級的官吏。

饗禮：以酒食來祭祀的隆重典禮。

財：通『裁』。裁度，裁定。

出王家錢，給犬/酒直。須報，謹問。/大常祠曹掾馮/

犬：祭祀用的狗。《後漢書·禮儀志·養老禮》：『皆祀聖師周公、孔子，牲以犬。』

直：通『值』。

大：通『太』。太常：官名。秦置奉常，漢景帝更名太常，掌宗廟禮儀，兼掌選試博士。歷代因之，爲專掌祭祀禮樂之官。

祠曹掾、祠曹史：太常丞的屬官。《後漢書·百官志》：太常，『丞一人，比千石。』本注曰：『掌凡行禮及祭禮小事，總署曹事。其署曹掾、史，隨事爲員，諸卿皆然。』

牟、史郭玄。辭對：/故（事），辟（雍）禮未/行，祠先聖師，侍/

辭對：應對，回答。

故事：舊的制度，往年的舊例。

未行：因故沒有舉行。

祠：通『祀』。祭祀。

辟雍：本爲西周天子所設大學，校址圓形，圍以水池，前門外有便橋。東漢以後，辟雍爲天子行大射或祭祀之禮的地方。

祠者，孔子子孫、╱大宰、大祝令各╱一人，皆備爵；大╲

侍祠：祭祀時的侍從人員。

大宰：即『太宰』。太常的屬官，掌宰工鼎俎饌具之物。凡國祭祀，掌陳送饌具。

大祝令：即『太祝令』。太常的屬官，凡國祭祀，掌讀祝文，及迎送神。

備爵：疑指祭祀時奉爵。具体含義待考。

常丞監祠，河南／尹給牛、羊、豕、（鷄）、／□□各一，大司／

大常丞：即『太常丞』。掌凡行禮及祭禮小事，總署曹事。

監祠：監察祭祀。

河南尹：既指地名，亦指官名。東漢時屬司隸校尉部。尹：中央、州直屬郡的最高長官。相當于太守。

大司農：官名，掌錢穀、金帛、貨幣等事。

農給米，祠。臣愚／以爲如瑛言，孔／子大聖，則象乾／

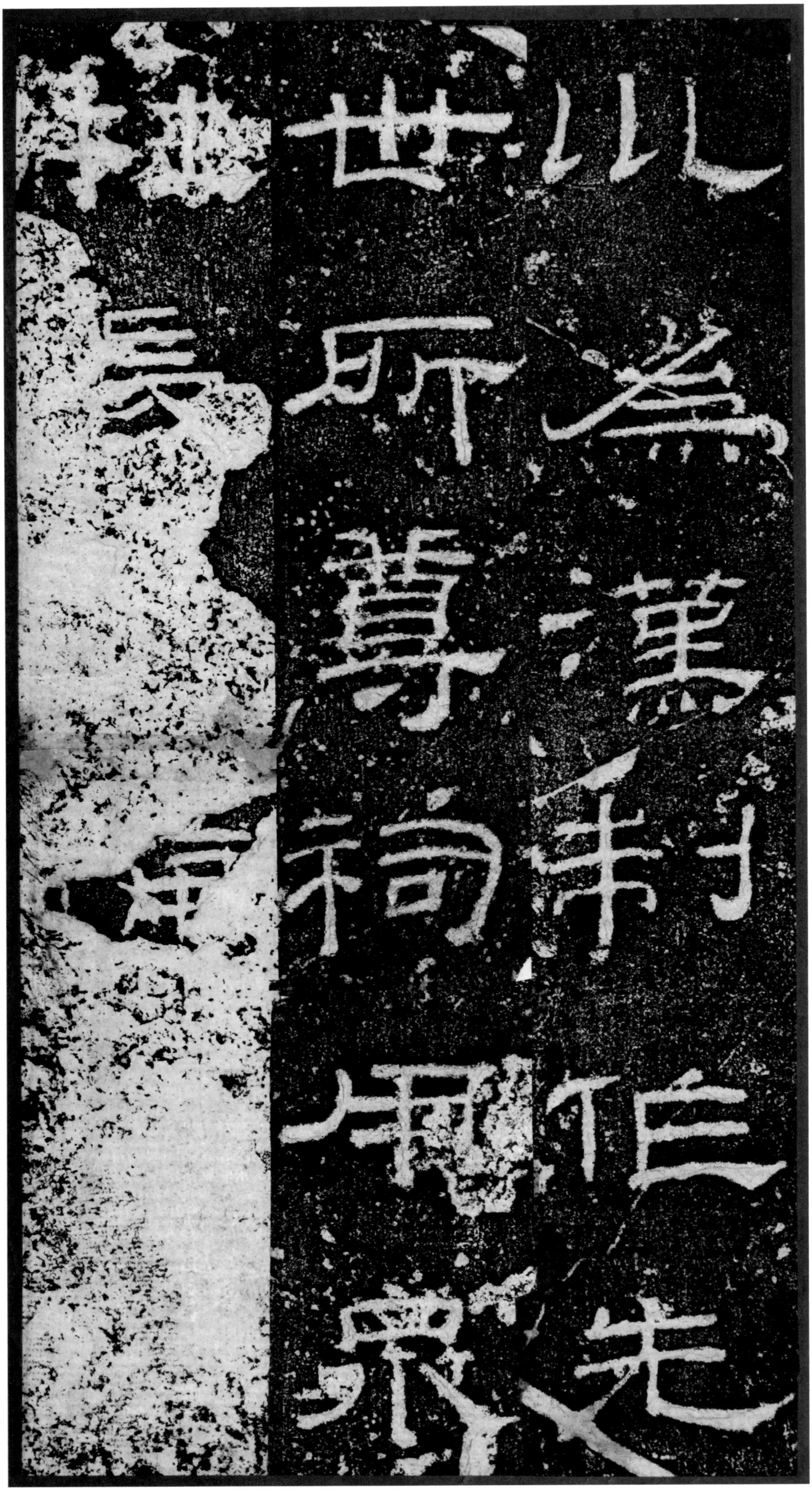

巛，爲漢制作，先／世所尊，祠用衆／牲，長（吏備爵。今）／

巛：同『坤』。則象乾坤：取法天地之象。

長吏：地位較高的官員。中央官六百石以上稱長吏。《漢書·景帝紀》：『吏六百石以上，皆長吏也。』地方官二百石至四百石爲長吏。《漢書·百官公卿表》：『（縣）有丞、尉，秩四百石至二百石，是爲長吏。』

爲漢制作：爲漢朝定下國家制度。《春秋公羊傳·原目》注：『丘（孔子）覽史記，援引古圖，推集天變，爲漢帝制法，陳叙圖録。』這是漢人的一種讖緯之說，認爲孔子預見到漢朝將要興起。

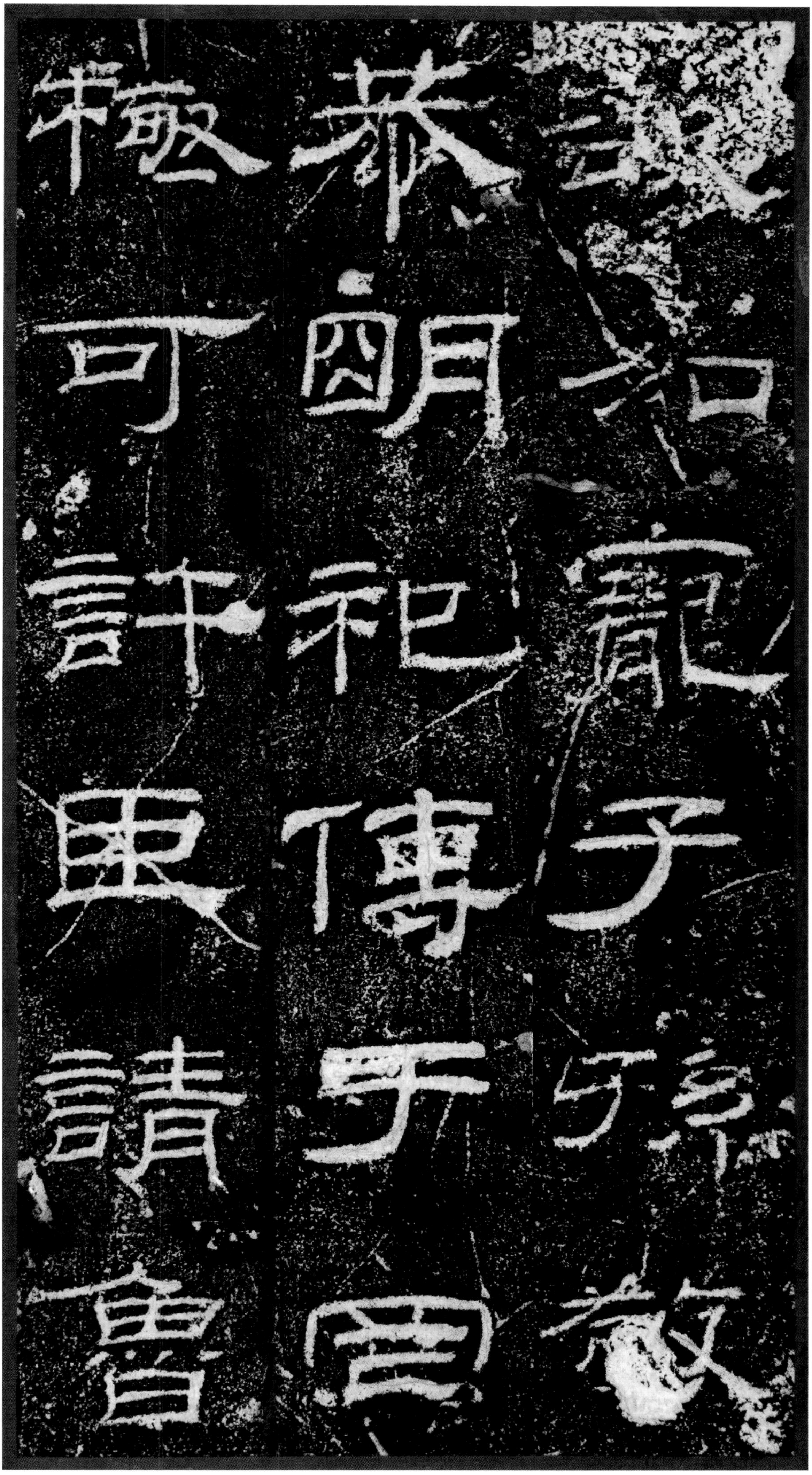

欲加寵子孫，敬／恭明祀，傳于罔／極。可許臣請，魯／

明祀：對重大祭祀的美稱。《左傳·僖公二十一年》：『崇明祀，保小寡，周禮也。』

罔極：無窮。

相爲孔子廟置／百石卒史一人，／掌領禮器。出（王）／

（家錢，給犬）酒直，╱他如故事。臣雄、╱臣戒愚戆，誠惶╱

愚戆：愚笨戆直。此爲奏章中慣用的謙詞。

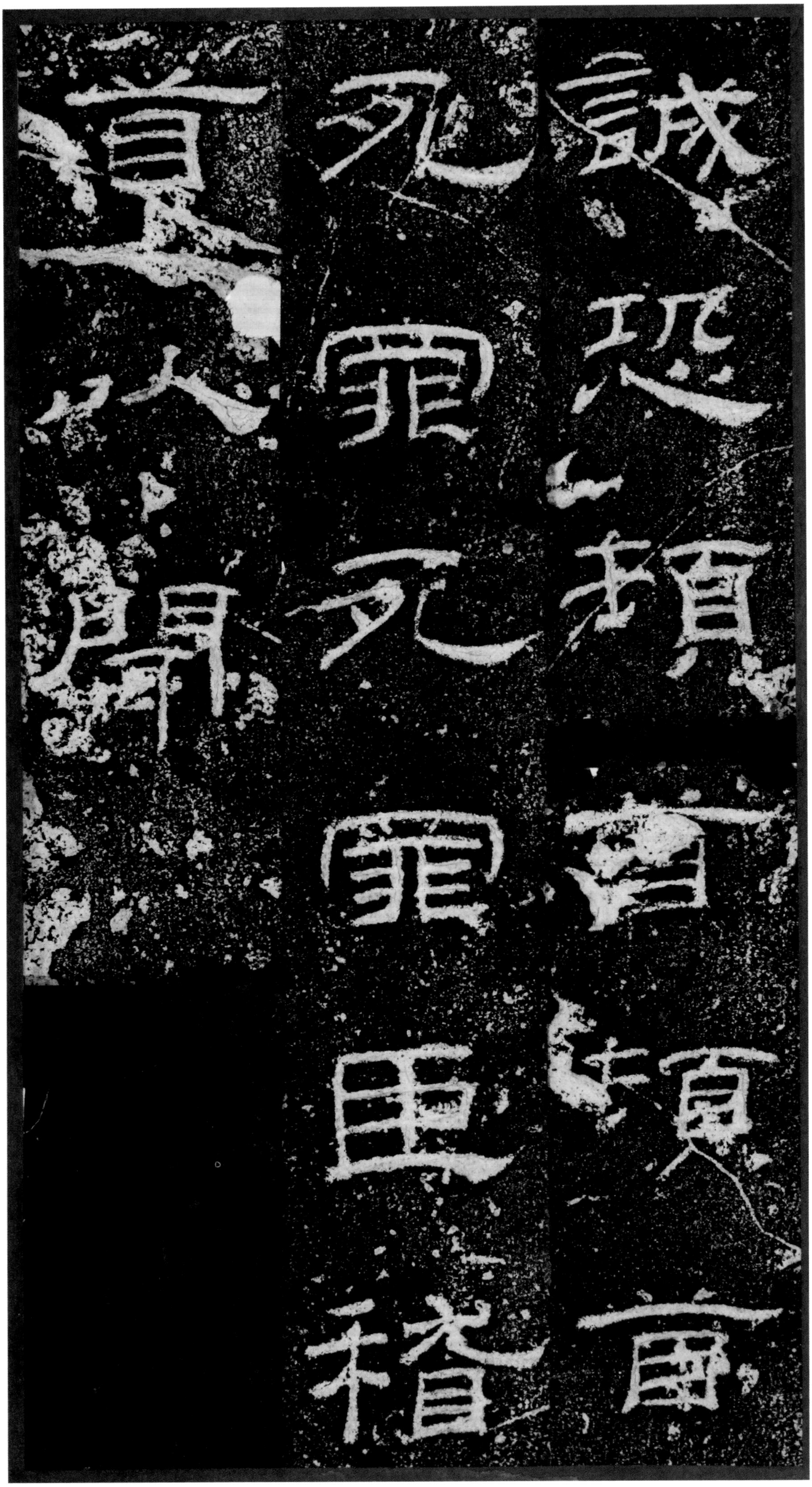

誠恐！頓首頓首！／死罪死罪！臣稽／首以聞。／

稽首：古代九拜之一。《周禮·春官·大祝》：『辨九拜：一曰稽首，二曰頓首，三曰空首，四曰振動，五曰吉拜，六曰凶拜，七曰奇拜，八曰褒拜，九曰肅拜。』鄭玄注：『稽首，拜頭至地也。』賈公彦疏：『稽首，其稽，稽留之字。頭至地多時則爲稽首也。……稽首，拜中最重，臣拜君之拜。』

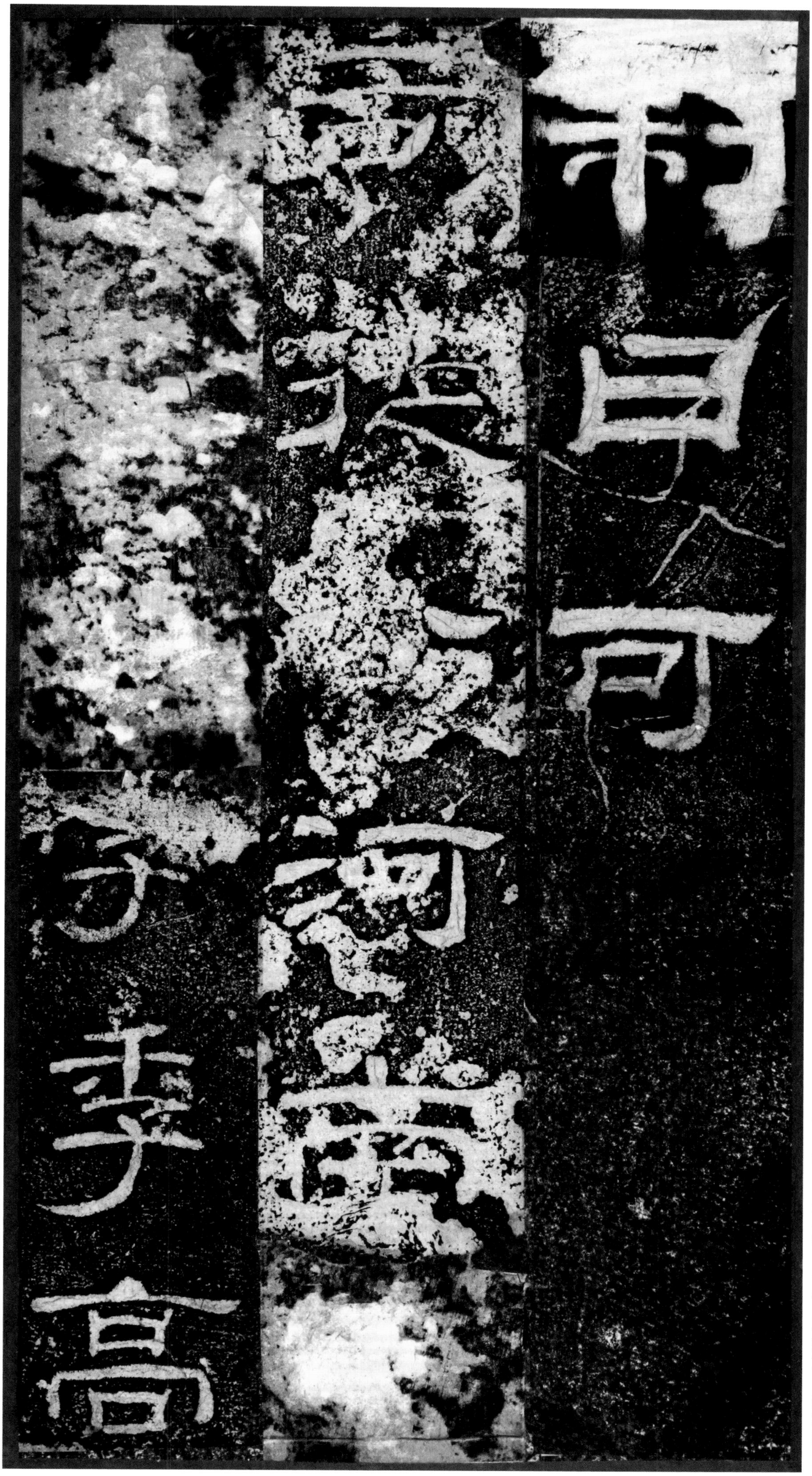

制曰：『可。』／司徒公河南（原／武吴雄），字季高。／

制：皇帝的命令。

可：表示同意。

司空公蜀郡成／都（趙戒），字意伯。／元嘉三年三月／

元嘉三年：即一五三年。此年五月改爲永興元年。

廿七日壬寅奏／雒陽宮。／元嘉三年三月／

雒陽宮：同『洛陽宮』。東漢定都洛陽。

丙子朔廿七日／壬寅，司徒雄、司／空戒下魯相，承／

下：下達。

司空戒：趙戒，字志伯，因避桓帝劉志諱，本碑下文稱『字意伯』。《後漢書》卷六三《李固傳》『司空趙戒』，唐李賢注：『戒字志伯，蜀郡成都人也。戒博學明經講授，舉孝廉，累遷荊州刺史。』後遷河間相、南陽太守，征拜爲尚書令，出爲河南尹，轉拜太常，并兩任司空。

司徒雄：吴雄，字季高。元嘉元年（一五一）至永興元年（一五三）任司徒。《後漢書》卷四六《郭躬傳》：『順帝時，廷尉河南吴雄季高，以明法律斷獄平，起自孤宦，致位司徒。雄少時家貧，喪母，營人所不封土者，擇葬其中。喪事趣辦，不問時日，醫巫皆言當族滅，而雄不顧。及子訢、孫恭，三世廷尉，爲法名家。』

承書從事：負責接送公文的官吏。當用者：具體負責經辦事務的官員。《史記·三王世家》：『四月丁酉，奏未央宮。六年四月戊寅朔，癸卯，御史大夫湯下丞相，丞相下中二千石、二千石，下郡太守、諸侯相，丞書從事下當用者。如律令。』『丞』，通『承』，漢簡亦多作『承書從事』。

書從事下當用／者，（選其年）卌（以／上，）經通一藝，雜／

試，通利，能奉弘／先聖之禮，爲宗／所歸者。如詔書。／

通利：通暢。此指精通經藝。

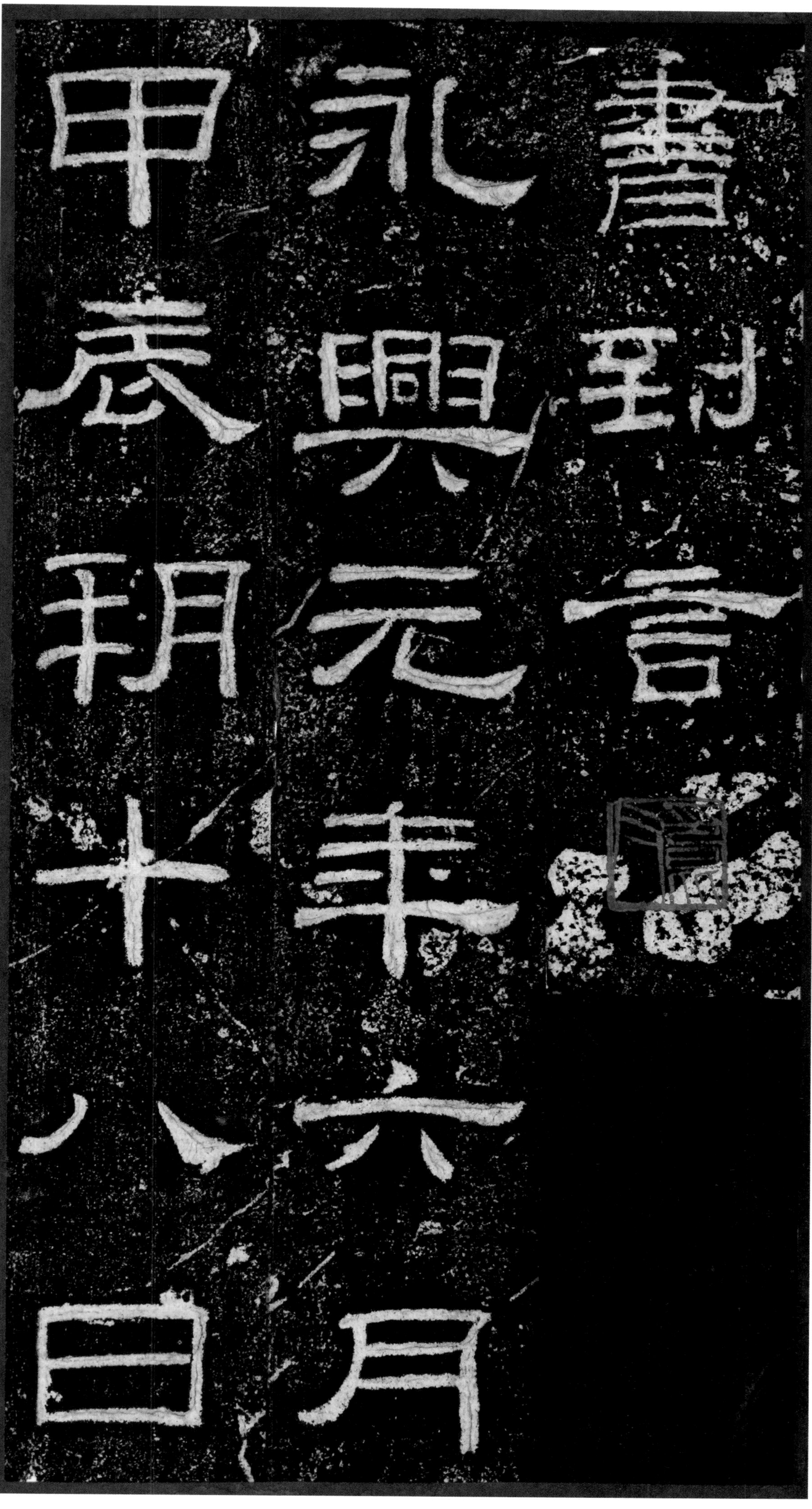

永興元年：即一五三年。

書到，言：／永興元年六月／甲辰朔十八日／

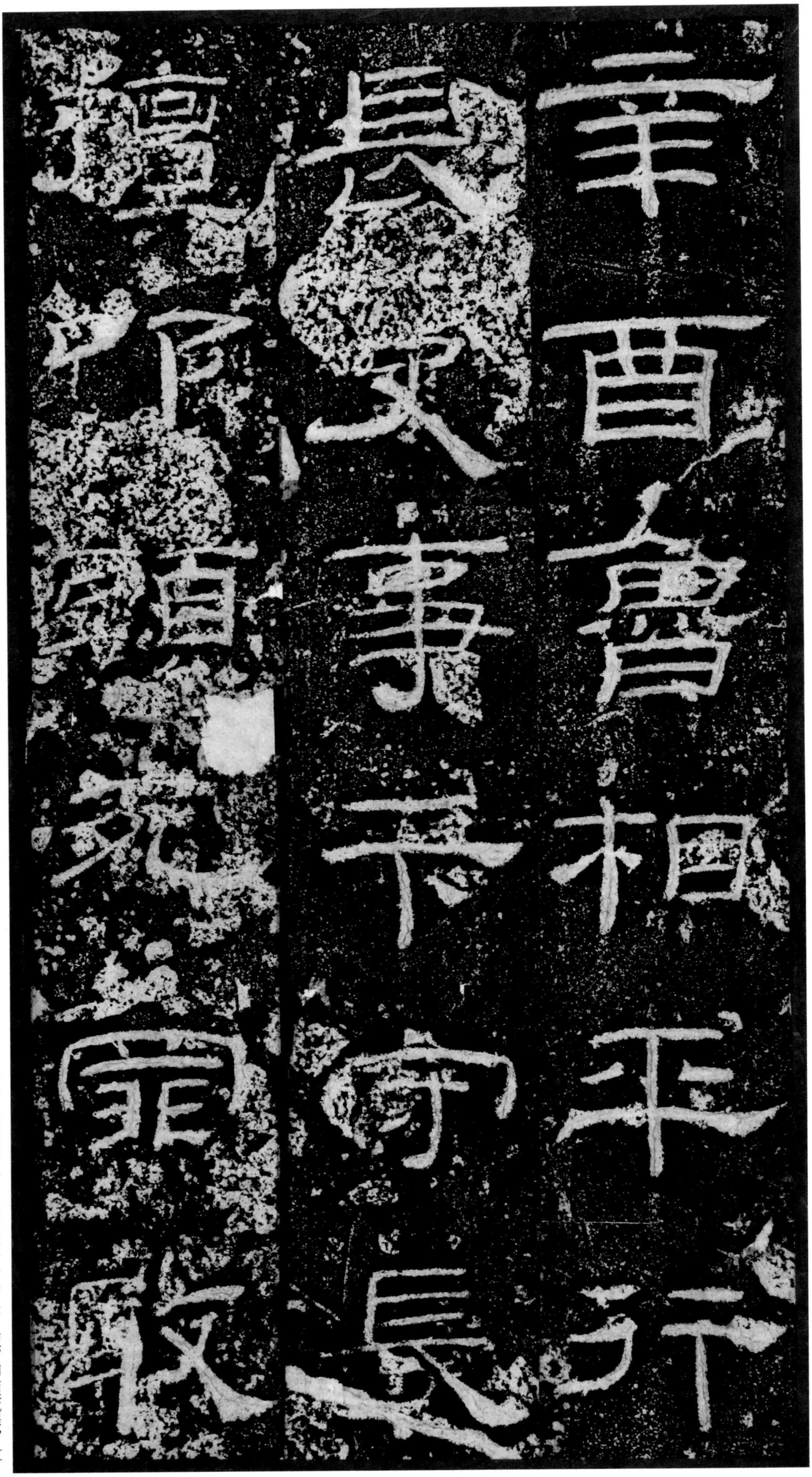

辛酉，魯相平，行／長史事、卞守長／擅，叩頭死罪，敢／

擅：此處爲人名，姓氏及生平不詳。『行長史事、卞守長擅』意爲：代理魯國長史、試守卞縣長擅。

行……事：代理某種職務。長史：王國相的屬官，相當于郡丞。

卞：卞縣，屬魯國，治所在今山東泗水縣東四十二里卞橋。

守：此處爲官制用語，表示試職，漢朝官吏有試守之制，期限一年。滿歲轉正，得食全祿，即爲『真』。

長：縣的長官。漢制，縣萬戶以上爲令，不足萬戶爲長。

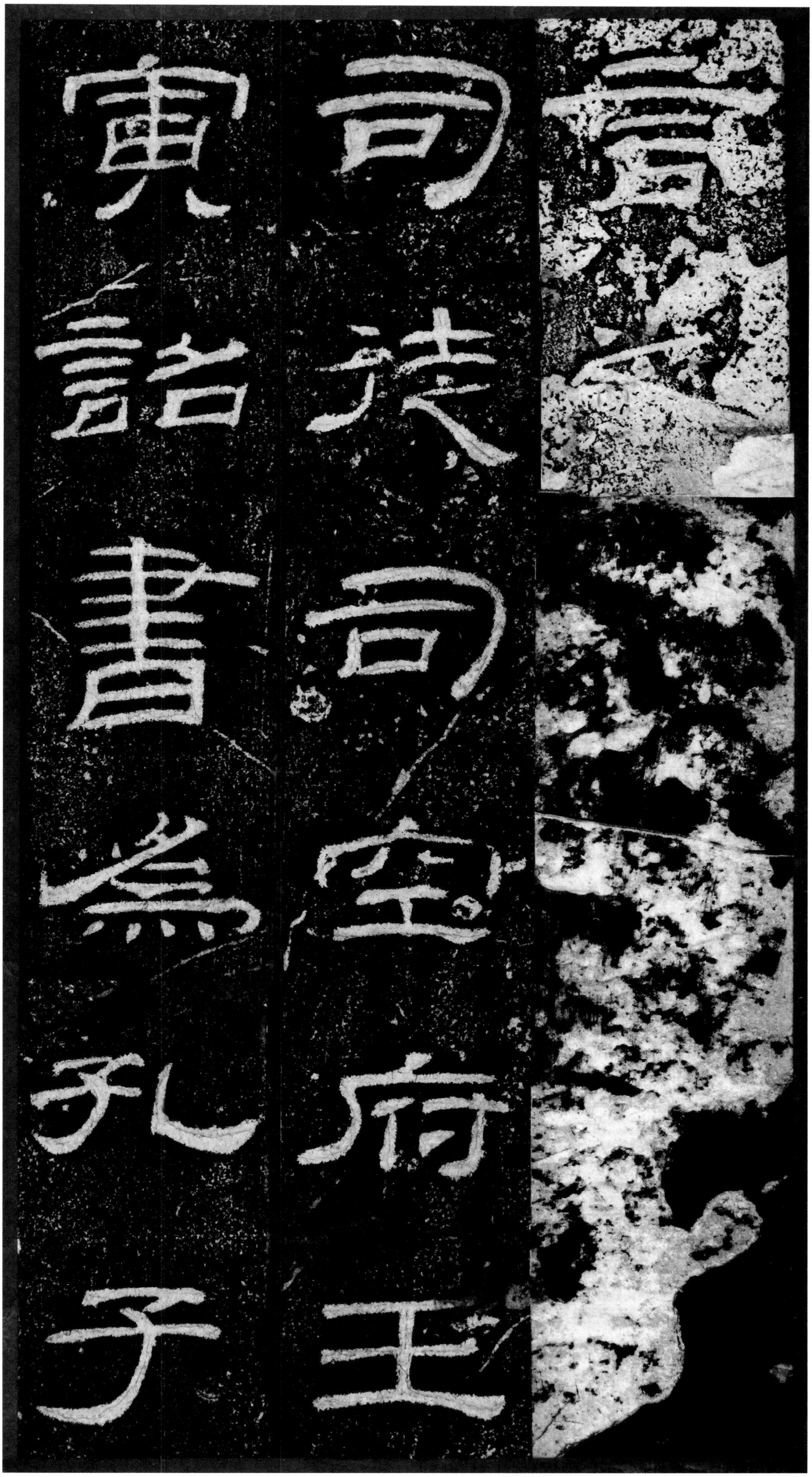

言之／司徒司空府：壬／寅詔書，爲孔子／

廟置百石卒史/一人，掌主禮器，/選年卅以上，經/

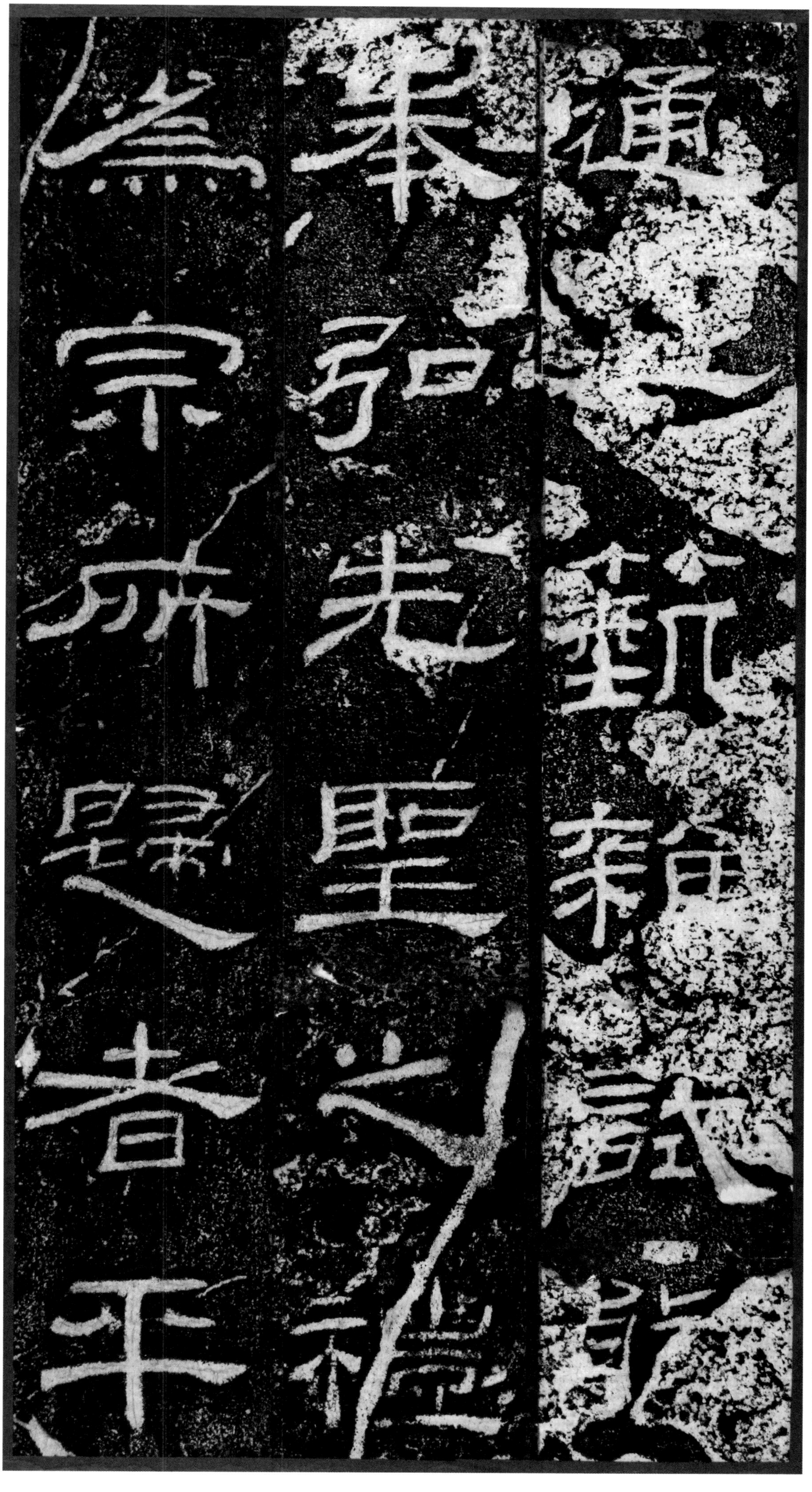

通一藝，雜試，能／奉弘先聖之禮，／爲宗所歸者。平／

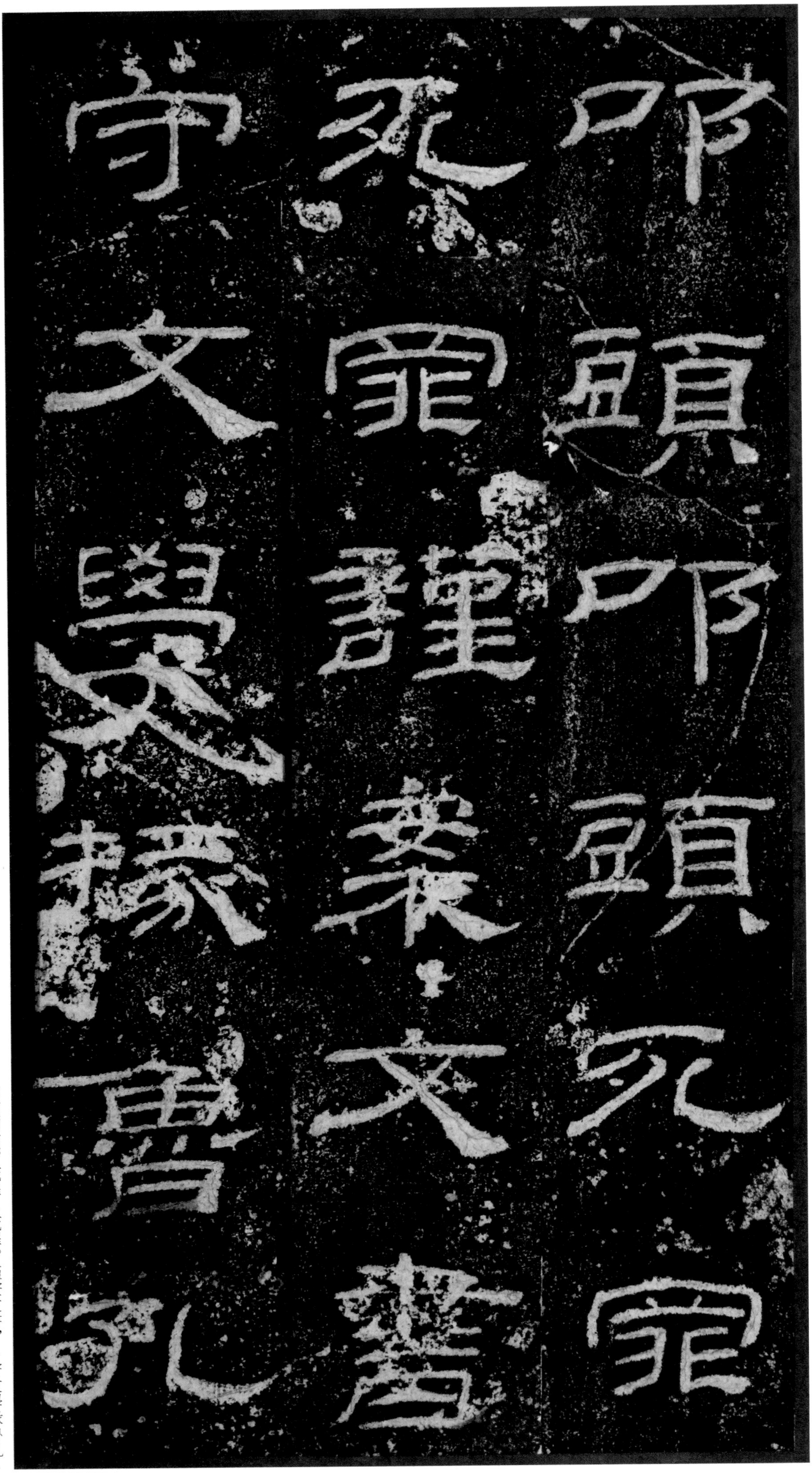

叩頭叩頭，死罪／死罪。謹按文書，／守文學掾魯孔／

龢、師孔憲、户曹/史（孔覽）等，雜試。/龢修《春秋嚴氏/

《春秋嚴氏經》：漢嚴彭祖所闡述的《春秋公羊傳》，今已失傳。

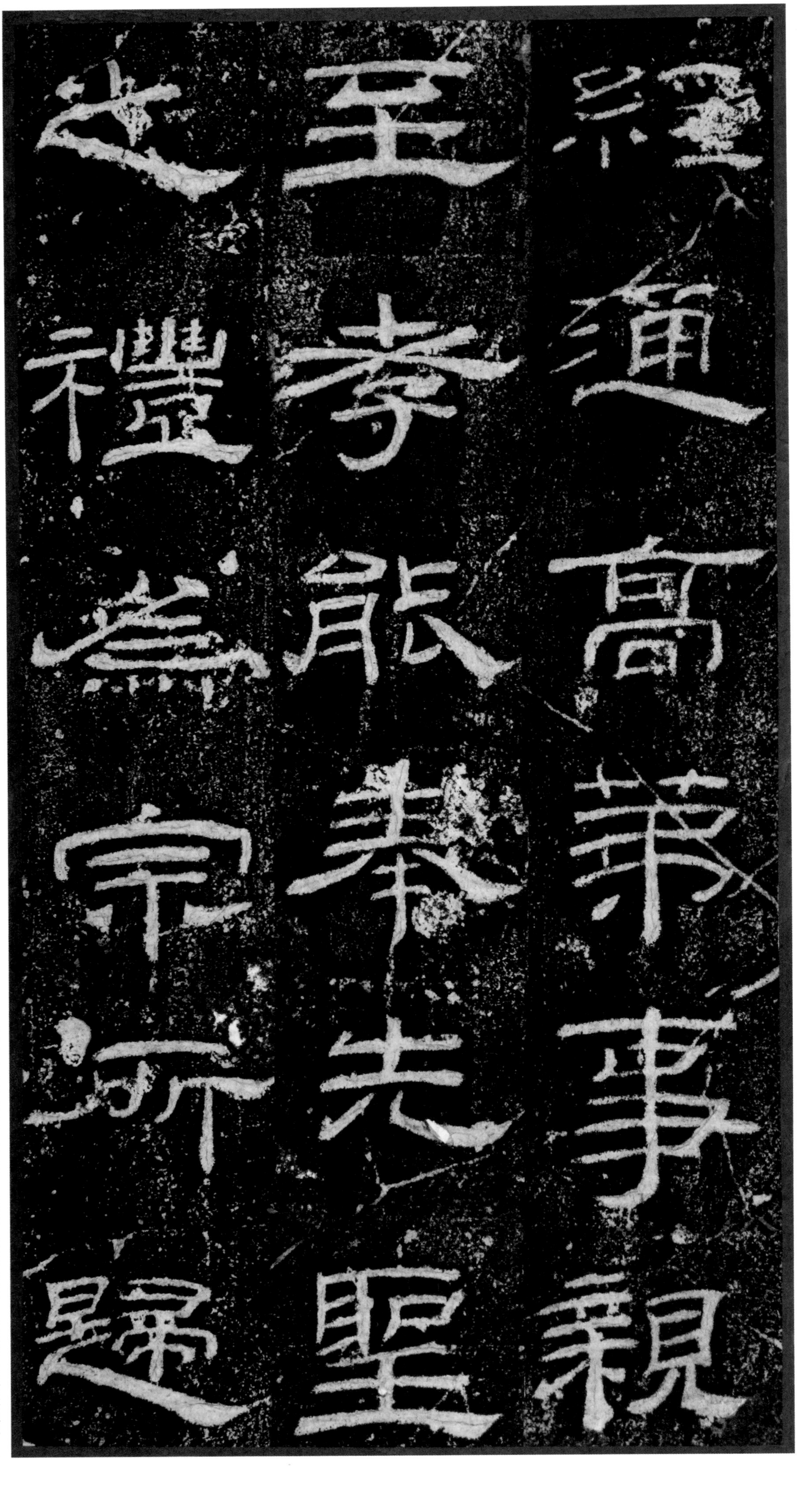

經》，通高第，事親／至孝，能奉先聖／之禮，爲宗所歸，／

高第：經過考核成績優秀，名列前茅。

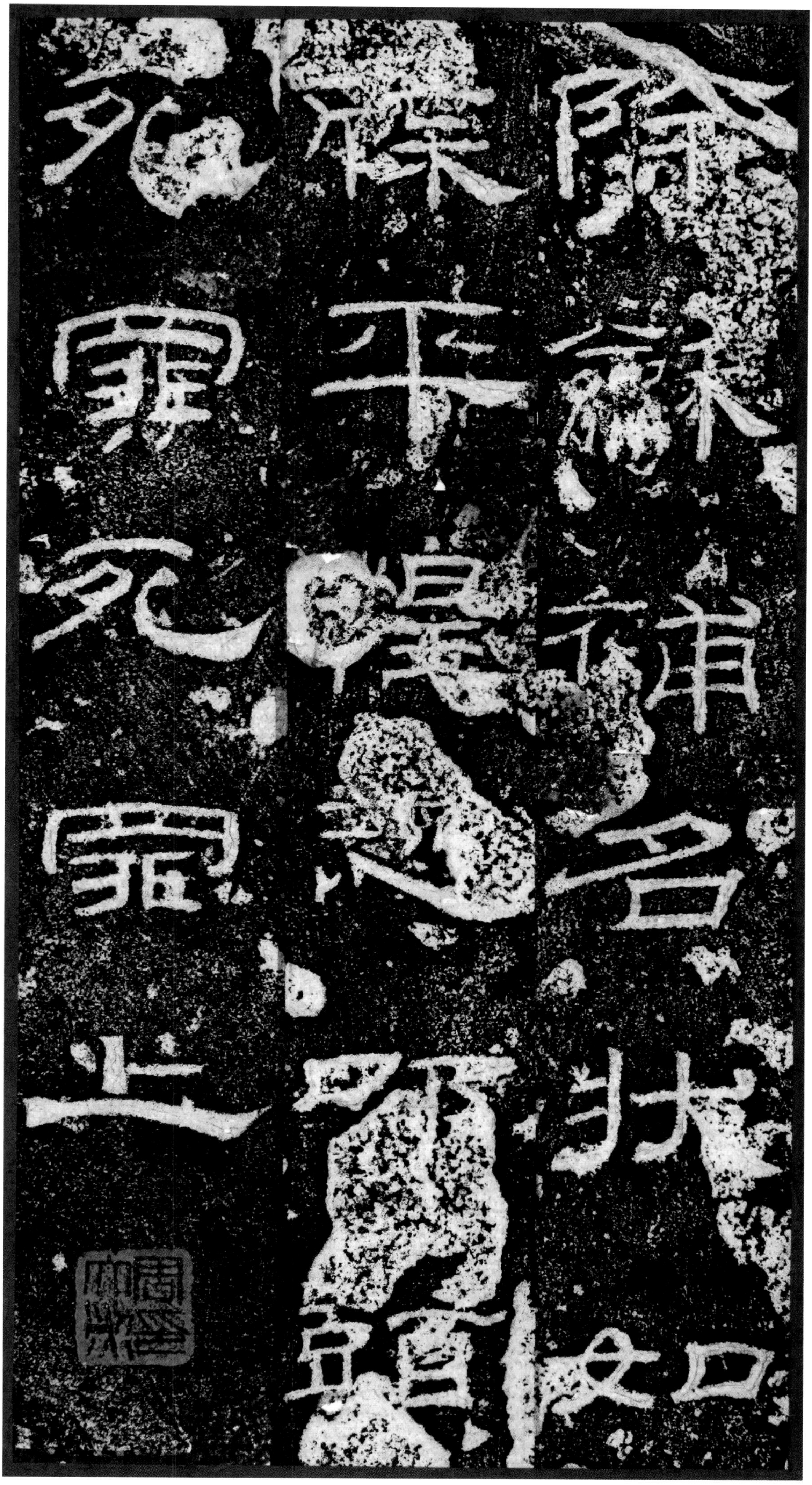

除穌補名狀如／牒。平惶恐叩頭！／死罪死罪！上／

補名狀：寫有姓名、家世、籍貫等內容，已備候補選官的文書。

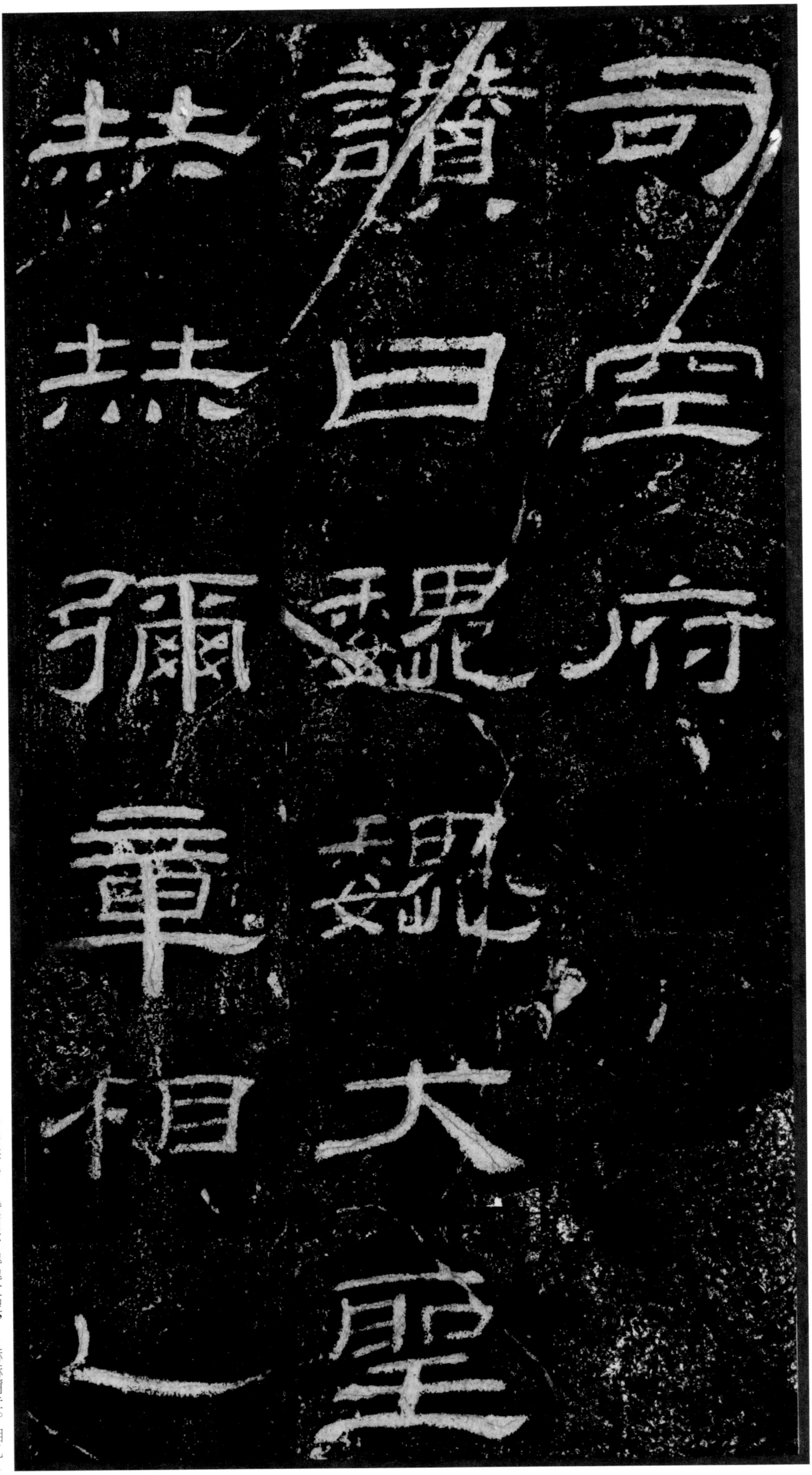

司空府。／讚曰：巍巍大聖，／赫赫彌章。相乙／

彌章：永遠輝煌。

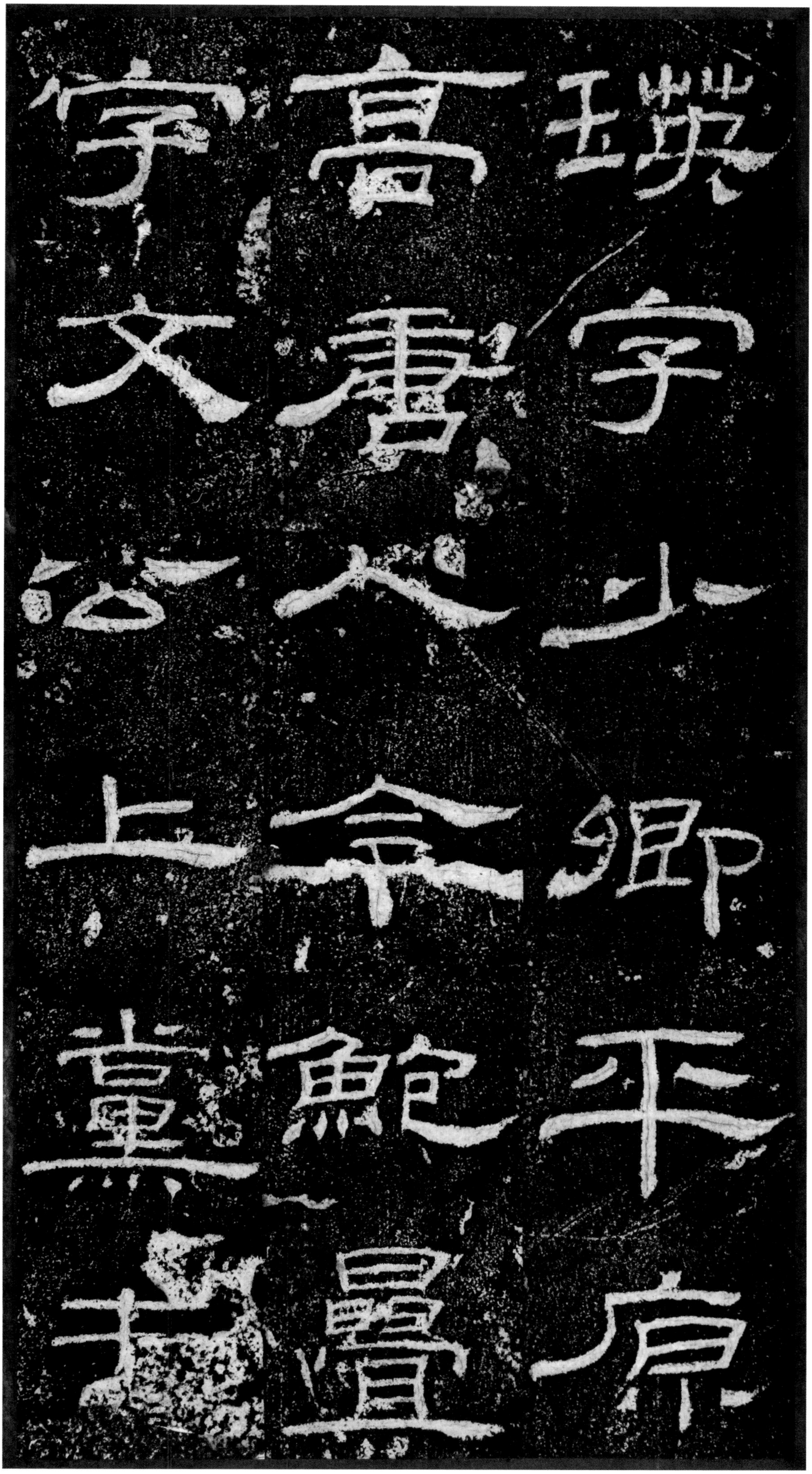

瑛，字少卿，平原／高唐人。令鮑疊，／字文公，上黨屯／

平原高唐：平原郡高唐縣，在今山東禹城市西南四十里。

令：此處當是指曲阜縣令，因孔廟在曲阜。

留人。政教稽古，／若重規（矩）。乙君／察舉守宅，除吏／

上黨屯留：上黨郡屯留縣，在今山西屯留縣南十二里古城村。

察舉：漢代選官制度。始于武帝時由丞相、列侯、刺史、守相等推舉經過考核合格即任以官職。主要科目有孝廉、賢良文學、秀才等。是士大夫仕進的主要途徑。

宅：通『度』。《集韻》：『宅，或作度。』守宅：循理有度。

除：授官。

孔子十九世孫／麟廉，請置百石／卒史一人；鮑君／

廉：孝廉。

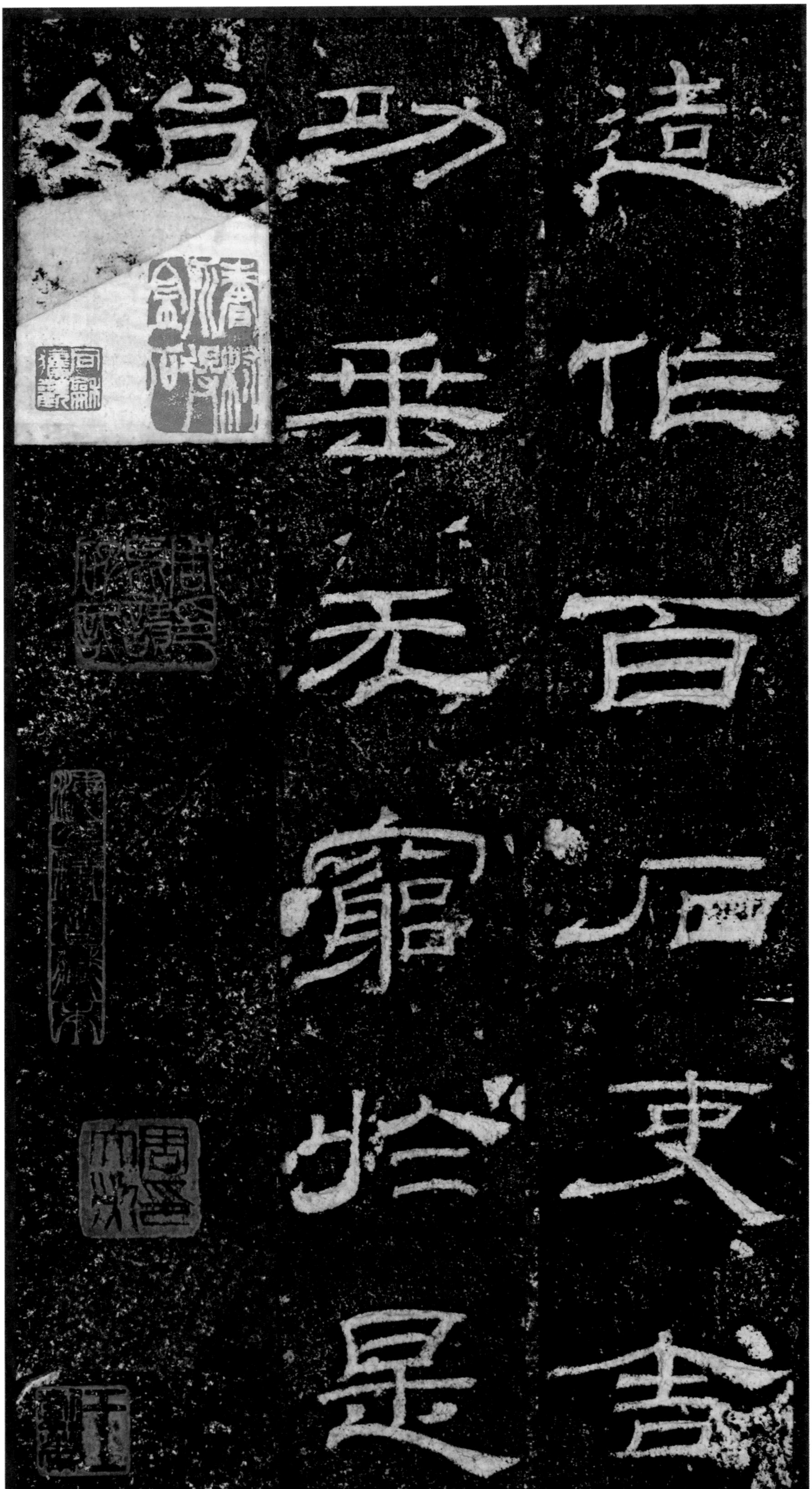

造作百石吏舍。／功垂無窮，於是／始口。／

歷代集評

此學書人第一宗祖。

——明 安世鳳《墨林快事》

其叙事簡古，隸法遒逸，令人想見漢人風采，政不必附會元常也。

——明 趙崡《石墨鐫華》

文既爾雅簡質，書復高古超逸，漢石中之最不易得者。

——清 孫承澤《庚子銷夏記》

字特雄偉，如冠裳佩玉，令人起敬。

——清 萬經《分隸偶存》

學隸書宜從《乙瑛碑》入手。

——清 梁巘《評書帖》

骨肉勻適，情文流暢。

——清 翁方綱

（乙瑛）在三碑爲最先，而字之方正沈厚，亦足以稱宗廟之美、百官之富。王篛林太史謂雄古，翁覃溪閣學謂骨肉勻適，情文流暢，漢隸之最可師法者，不虛也。

——清 方朔《枕經堂金石跋》

橫翔捷出，開後來雋利一門，然肅穆之氣自在。

——清 何紹基《東洲草堂金石跋》

是碑隸法實佳，翁覃溪云：『骨肉勻適，情文流暢。』誠非溢美，但其波磔已開唐人庸俗一路，史惟則、梁昇卿諸人未必不從此出，或以比《禮器》，則過譽矣。

——清 楊守敬《平碑記》

圖書在版編目（CIP）數據

乙瑛碑/上海書畫出版社編.—上海：上海書畫出版社，2012.7

（中國碑帖名品）

ISBN 978-7-5479-0397-1

Ⅰ.①乙… Ⅱ.①上… Ⅲ.①隸書—碑帖—中國—東漢時代

Ⅳ.①J292.22

中國版本圖書館CIP數據核字（2012）第120098號

中國碑帖名品［十］

乙瑛碑

本社 編

責任編輯 馮 磊

釋文注釋 俞 豐

審　　定 沈培方

責任校對 柏 龍

封面設計 王 峥

整體設計 馮 磊

技術編輯 錢勤毅

出版發行 上海書畫出版社

地址 上海市延安西路593號 200050

網址 www.shshuhua.com

E-mail shcpph@online.sh.cn

印刷 上海界龍藝術印刷有限公司

經銷 各地新華書店

開本 889×1194mm 1/12

印張 3 2/3

版次 2012年7月第1版

2021年5月第14次印刷

書號 ISBN 978-7-5479-0397-1

定價 32.00元

若有印刷、裝訂質量問題，請與承印廠聯繫